有一个神秘的城堡，里面的事情从来没有人知道。

小提琴手想去探个究竟，喇叭手也不甘示弱。他们都狼狈地逃回来了。

轮到吹笛手去了，他会怎么样呢？

会和他的两个同伴一样被踢出来吗？

出版说明

童话的永恒魅力不仅仅在于故事内容充满激动人心的冒险和悬疑，契合儿童天马行空的想象世界，而且还能帮助孩子“处理成长过程中必须面对的内心冲突”。是它们呵护着我们的童年。

英国作家卡罗尔曾借笔下爱丽丝之口说过：“如果一本书里没有图画和对话，那还有什么意思呢？”如果说童话是儿童的精神之源，那么，图画则是儿童感知和表达的重要手段。每个儿童天生都是艺术家，正是在这个意义上，对于主要通过模仿来感知世界的儿童来说，为其选择何种插图的儿童读物就尤为重要。

我们郑重地向您推荐这套共 60 本的《彩色世界童话全集》。

这套书此前在大陆有两个版本：一为中国文联出版公司 1987 年平装版，分 60 册。一为海豚出版社 1995 年精装版，只出了 10 册，每册两个故事。后一版本因定价过高而鲜为人知，文联版则影响颇大。在当时国内儿童读物严重缺乏的大背景下，这套书给很多人留下了深刻的印象。以至于今天，当年受其惠泽的读者多已为人父母，他们在为自己子女挑选童话读本时，才发现即便在当下儿童读物引进和原创空前繁荣的情形下，曾经的《彩色世界童话全集》依然冠绝群伦。

这套书最初由意大利老牌出版机构 Fabbri 出版于 1966 年，八十年代初台湾光复书局引进繁体字版。大陆文联版即从台湾光复版翻印，除将繁体字改为简体字，其他一仍其旧。但光复版因要照顾台湾竖排右翻的阅读习惯将原版的许多图片做了水平翻转处理，导致诸多文图错位。此次出版，严格按照原版，不复存在如是问题。

台湾光复版和文联版插图绘制者信息皆阙如，此次出版一一标注，以示对作者之尊重。自 2010 年起，Fabbri 陆续重新出版了这套书，并将其做成了有声书，因配音无法直接引进，故此次简体字本没有附加配音。译文由台湾著名儿童文学家方素珍主持编译，因篇幅有限，难免有差强人意之处，敬请谅解。

彩色世界童话全集

52

三个音乐家

〔德国〕贝伊修达恩◎著　〔意大利〕皮卡◎绘　崔旭◎编译

新世界出版社
NEW WORLD PRESS

三个才华横溢的音乐家组成了一支乐队四处演出。由于水平高超，又善于合作，因此演奏出来的音乐格外好听。

这天，他们来到一座繁华的小镇，大声宣布：“女士们、先生们，请欣赏我们三人乐队的演奏吧！”说完，就开始为大家演奏乐曲。

音乐响起，时而活泼跳跃，时而清丽悠扬，所有的人都陶醉在这优美的曲调中。等到演奏结束，小镇居民很感激他们带来这么动听的音乐，纷纷邀请三个音乐家吃饭。

音乐家高兴地接受了邀请，大家一边吃饭，一边聊天。

“对了，你们知不知道这附近有个魔城？”一个青年啃着鸡腿说。

“什么魔城？说来听听。”三个音乐家顿时来了兴趣。

“就是旁边那个古怪的城堡，里面经常发生奇怪的事儿，还住着一个魔法师呢！你们想不想去看看？”

“当然了！”三个音乐家异口同声地说。他们本来就非常喜欢冒险，岂能错过这种好机会！吃过饭，回到旅馆里，他们还在兴致勃勃地讨论着魔城的事。

“嗨！这真是个好机会，我们一起去好不好？”

“三个人一块儿去有什么意思？不如我们一个一个单独去，看看谁的胆子最大。”

“有意思！那我先去！”小提琴手抢着说。

第二天一早，小提琴手来到城堡前面，看到城门和窗子都是关着的，显得阴森恐怖。

可他才不管那么多呢，上前敲了敲门说：“有人在吗？”

一连叫了好几声都没有人答应，他只好自己推开城堡的大门，走了进去。奇怪的是，城堡的门又自动关上了。

小提琴手走进大厅，又穿过长长的走廊，里面静悄悄的，没有一点儿声音。

小提琴手继续往前走着，连自己心跳的声音都听得见，“扑通、扑通”，好紧张啊！越往里走，灯光越昏暗，一个房间连着一个房间。他正想打退堂鼓，原路返回，忽然发现前面有一个房间灯火通明。他想了想，迈步走进房间。

咦？没有怪兽，没有妖怪，倒有一张大桌子，上面铺着白桌布，放着好多好吃的东西。

小提琴手正好饿了，他大大咧咧地坐下来，掰下一块鸡腿大吃大嚼起来。

这时，一个矮人老公公走了进来，他长得好奇怪，一把长长的胡子快要拖到地上了，还拿着一根手杖。

小提琴手连忙说：“老公公，我……我看这儿没人，就进来了，您别生气啊。”

可是矮人老公公一句话也不说，好像根本没听见一样。他直接走过来，坐到另一张椅子上。

“哦，可能是个又聋又哑的老头。”小提琴手这下可放心了，继续大吃大喝。

老公公还是一句话也不说，只是看着小提琴手笑了笑。

小提琴手可有点心慌了，不明白这小老头到底是什么意思，再说了，两个人这么干坐着，多尴尬呀。一阵沉默之后，小提琴手想说点什么打破宁静。他搜肠刮肚，好不容易才想出一句话来：“老公公，来吃块烤肉吧，我帮你切。”说着，就动手切了一块烤肉，要放在老公公的盘子里。可是一不小心，烤肉掉在了地上。

“对不起对不起！”小提琴手慌慌张张地说，赶忙弯腰去捡烤肉。

不料，矮人老公公趁他弯腰的时候，突然拿起手杖，冲着他的脑袋就是一棒子！

“哎呀！好疼！”小提琴手跳了起来，急忙躲闪，觉得眼前直冒金星！

可矮人老公公还是一句话也不说，追在后面又是一顿棒子。他的力气好大啊！一点儿也不像老人家，直打得小提琴手上蹿下跳，连声告饶：“哎呦！哎呦！饶了我吧！”然后，一溜烟儿逃出了城堡。

回到旅馆里，他上气不接下气地对两位同伴说："那……那座城堡真……真可怕，我再也不想进去了！"说完，捂着脑袋上的包一屁股坐在凳子上。

吹笛手看着小提琴手狼狈的样子，非常不解地问："到底怎么回事？谁把你打成这样子的？"

"快别提了，那个老头，好像疯掉了一样，力气大得要命，拿着个手杖一个劲儿打我。"

"什么！一个老头就把你打成这样？"喇叭手简直不敢相信。

“何止是个老头，还是小矮人呢，可是他力气很大，不信你自己去试试！”小提琴手不服气地说。

“去就去！我还怕他不成。”第二天，喇叭手就出发了。

他走进城堡里，一切都是那么安静，静得连自己的脚步声都听得见。走了好久，他也看见了那个亮着灯的房间，就走了进去。

他根本没把矮人老公公放在心上，所以大摇大摆地坐下来。不过，他非常警惕，没有吃桌子上的食物。奇怪？怎么左等不来右等不来，是不是矮人老公公不来了？喇叭手放松了警惕，开始打瞌睡。

就在这时，矮人老公公来了！喇叭手吓了一跳，连忙从椅子上站起来，想给老公公切肉吃。可是，他一慌张，烤肉又掉在了地上。

不用说，老公公又把喇叭手打得哭爹喊娘。“哎呀！救命呀！”结果他也像小提琴手一样逃回了旅馆。

吹笛手看到两个兄弟都被赶出来了，觉得很奇怪，决定自己去一探究竟。他慎重地想了想，就背上袋子出发了。

进了城堡以后，情况和前两个人遇到的一模一样。不过，吹笛手一点儿也不敢掉以轻心，他时刻注意着矮人老公公的一举一动。

当烤肉掉在地上的时候，吹笛手假装弯腰去捡，其实他偷偷盯着矮人老公公呢！只见老公公果然又举起了手杖！吹笛手毫不犹豫，一把抓住了老公公的胡子！不料，胡子整个儿掉了下来。矮人老公公疼得大叫：“啊！我的胡子！”这可是他第一次说话呢。

“原来你不是又聋又哑的老头呀！”吹笛手说。

“当然不是！谁说我是又聋又哑的老头，我自己说过吗？”矮人老公公说。不过，他看了看吹笛手拿着的长胡子，又装出一副可怜的样子说，“求求你，把胡子还给我吧！”

吹笛手可不想欺负老人，正要把胡子还给他，突然发现，自己拿着胡子，好像比以前更有力气了，像大力士一样。他犹豫着，没有立刻把胡子还给老公公。

老公公还在恳求着：“求你还给我吧！要是还给我，我就告诉你魔城的秘密。”

吹笛手想了想，觉得不能轻易相信这个老公公，就回答道：“还给你倒可以，不过，你要先告诉我魔城的秘密。”

矮人老公公没办法，只好点了点头说：“跟我来。”说完背着手就往外走。

吹笛手好奇地跟在他后面，向城堡的后花园走去。穿过了一条秘密通道，眼前出现了一个乱石密布的河岸，再往前，就是湍急的河流，河水发出可怕的涛声。

这可怎么走呢？别急，老公公举起了他的手杖，伸进河里。说也奇怪，河水向两边退去，露出了干涸的河床。

两个人走下河床，刚踏上对面的河岸，河水就重新合了起来，发出可怕的响声。

吹笛手深吸了一口气，可真有点后怕。不过，他依然小心地跟着矮人老公公。两个人又往前走了一会儿，只见一座古堡耸立在草地上。

老公公说：“你看见了吗？这座城堡是一位公主的。可是，漂亮的公主中了魔法师的魔法睡着了，已经好几百年了，都没醒过来。因为只要有人想接近城堡，我就把他们打走。”

吹笛手心想：“哼！你还好意思说！真是个坏心眼的老头。”不过，为了救公主，他还是跟着矮人老公公走进了城堡，一路来到公主的房间。

好美啊！年轻的公主躺在大海一样蔚蓝的小床上，像画儿一样。

吹笛手连忙说：“这位公主可真漂亮！你快让她醒过来吧。”

矮人老公公白了他一眼说：“蠢货！要是我能让她醒，她还会睡着吗！现在能让公主醒过来的，只有你，只有心地善良的人才能救她。”

吹笛手听老公公骂他，本来有点生气，不过一想到能救公主，还是谦虚地说：“这……我该怎么办呢？”

“你看见那个关在笼子里的小鸟了吗？它胸部的红色羽毛代表着幸福和生命。你把红色的羽毛放在胸膛上，它就会自动燃烧成灰，然后，把这些灰轻轻撒在公主嘴边，她就会醒过来。”

吹笛手按照老公公说的，把代表幸福和生命的红色的羽毛变成了白色的灰，又小心翼翼地把白灰撒在公主的嘴边。

慢慢地，慢慢地，公主仿佛有了生气，她的嘴角轻轻扬起，好像刚做了一个甜甜的美梦。紧接着，她睁开了水汪汪的大眼睛！对着吹笛手微微一笑："是你救了我吗？"

此刻，吹笛手只听到自己的心"扑通扑通"地跳着，一句话也说不出来，只好点点头。

公主又轻启朱唇，小声说："谢谢你，这也许是上天安排好的，你愿意娶我吗？"

吹笛手赶紧郑重地点了点头。

就在这时，整个城堡都晃动了起来，传来像打雷一样的轰隆声。原来，是魔法解除了，城堡正在恢复本来的样子。

仆人和大臣们也都醒了，他们从百年的沉睡中醒了过来，欢呼着、跳跃着！涌向公主的房间，大家围着公主和吹笛手，高兴地大喊：“太好了，我们醒过来了！”

场面好不容易安静下来，小矮人挤过来，说：“现在，可以把胡子还给我了吧。”

吹笛手想了想，又说：“哦，真对不起，我差点忘了！这样吧，你把我们带回河对岸，我就把胡子还给你。”

矮人老公公听吹笛手这么说，没办法，只好垂头丧气地跟着他们来到岸边。他正要拿出手杖让河水分开，吹笛手又说：“等等！把你的手杖借我用一下。”

“不行！这个手杖可不能借你。”他连忙紧紧抱住手杖。

“你要是不借，我可要把你的胡子扔进河里了。”

“好吧。”矮人老公公没有办法，只好叹了口气，非常不情愿地把手杖递给他。

于是，吹笛手用手杖碰了一下河水，露出一条通路。

“老公公，您先请吧。”吹笛手让矮人老公公走前面。

“好！我先走。”矮人老公公一边嘀咕着，一边往前走。

吹笛手牵着公主，也跟在他后面走下了河床。不过，矮人老公公可没注意到，他们走了一会儿，就悄悄转身往回走啦！

等他走到对岸一看，河水已经合上了，吹笛手正在对岸举着胡子，做出胜利的手势！矮人老公公气得脖子都歪啦！“你们在干什么！快把胡子还给我！”

吹笛手这才不慌不忙地把胡子丢给他，说：“接住啦！胡子还给你，不过，这手杖还是我替你保管吧！”

“喂！你这个年轻人真没信用，手杖是我的，快给我！”矮人老公公急得直蹦高。

吹笛手才不上当呢！他故意举着手杖挥了挥说：“哈哈！手杖在我这儿，你过来拿呀！”然后大声说，“你还是在对岸安心养老吧！别再做坏事了！再见，祝你健康！”

说完，吹笛手和公主手拉手，双双回到城堡。不久，他们就举行了婚礼，在欢快的音乐中，一起接受了大家的祝福。

从此以后，勇敢机智的吹笛手，和公主过着快乐的日子。

我喜欢这个故事

我觉得这个故事……

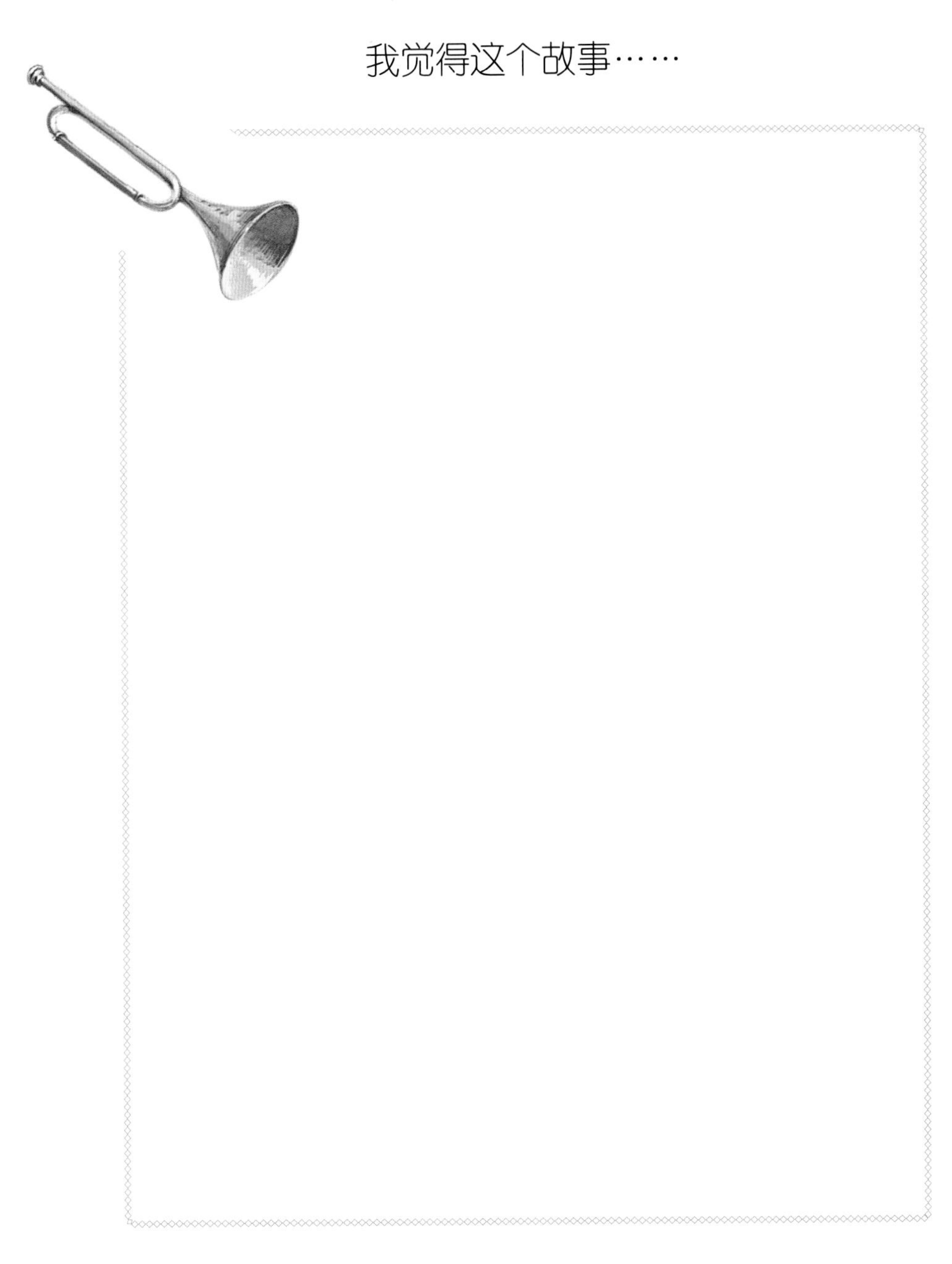

彩色
世界童话
全集

共 60 册

意大利插画大师精心绘制　1500幅美轮美奂手绘插图　精心呵护儿童艺术天分